Mögen Blumen deinen Tag verzaubern

Segensworte aus Irland

Herzliche Segenswünsche

Was immer mir begegnet,
Gutes und Böses,
ich muss es mit Gleichmut annehmen
und Gott immer danken,
weil er mich gelehrt hat,
ihm ohne Zweifel und
unbegrenzt zu glauben.

St. Patrick

Ich weihe mich heute
Gottes mächtiger Führung,
Gotttes wachendem Auge,
Gottes lauschendem Ohr,
Gottes schützenden Händen,
Gottes fürsprechendem Wort,
Gottes leitender Weisheit,
Gottes offenen Wegen,
Gottes bergendem Schild,
Gottes rettender Heerschar.

Möge
Klarheit sich
spiegeln am
Grund deines
Herzens,
rein sei deine
Seele wie ein See
ganz oben im
Gebirge.

Möge der Herr auf euren Wegen
Zeichen des Neuanfangs setzen:
Neue Wege eröffnen,
alte Wege in neuem Licht euch zeigen.
Er führe euch sanft
und öffne eure Augen.

Möge die Liebe Gottes
in deinem Herzen brennen -
einer Kerze gleich leuchtend
und wärmend.

Die gute Hand eines Freundes
möge dich immer halten,
in schweren wie ein guten Zeiten
dir die Gewissheit geben,
dass du niemals einsam bist.

Pilgrims Rest
illy
EZEKE
DJ BREENO'S
DJ TONY BURKE'S
DJ FUNKY RAY

Mögest du immer
den Willen Gottes tun,
damit du nicht
wie ein unvorsichtiger Vogel bist,
der sich im Netz verfängt,
nicht wie ein leck geschlagenes Schiff,
das jede Gefahr bedroht.
Nicht ein leeres Gefäß
oder ein verdorrter Baum.

Mögest du immer
den Willen Gottes tun,
dann bist du wie ein Licht,
das immer leuchtet,
wie ein Gefäß aus Silber voll mit Wein.
Gesegnet sei der Weg deines Lebens.

Irisches Segenswort

Deine Hände sollen immer Arbeit finden,
ein Penny soll immer in deiner Tasche sein,
wenn du ihn brauchst.
Die Sonne soll in dein Fenster scheinen
und dein Herz voll Gewissheit sein,
dass jedem Wolkenbruch
ein Regenbogen folgt.

Die gute Hand eines Freundes
möge dir immer nahe sein,
und der Herr fülle dein Herz
mit Frohsinn und Freude.
Er ermuntere dein Herz
und deinen Mund zum Gesang.

CASTLE VIEW
城寶
Chinese
Restaurant
城
Chinese
Restaurant
CASTLE VIEW
Chinese
Restaurant
寶

Gott
bewahre dich
vor aller Gefahr.
Angst sollst du
nicht haben.
Seine Engel
sind bei dir,
wohin du
auch gehst

Möge der Himmel,
den du siehst, immer blau sein
und deine Träume sich erfüllen.
Deine Freunde sollen wahrhaftig sein
und deine Freude vollkommen.
Mögen Glück und Lachen
deine Tage erfüllen -
- jetzt und immerdar.

Herr, segne die Sonne,
das wärmende Licht des Tages.
Herr, segne den Mond,
den guten Begleiter der Nacht.
Herr, segne die Sterne,
die ewigen Wegweiser des Himmels.
Segne auch die Kerze am Fenster,
die in der Nacht dem Verirrten
ein Zeichen ist.

Christus sei, wo ich liege,
Christus sei, wo ich sitze,
Christus sei, wo ich stehe,
Christus in der Tiefe,
Christus in der Höhe,
Christus in der Weite.

Christus sei im Herzen eines jeden,
der an mich denkt.
Christus sei im Munde eines jeden,
der von mir spricht.
Christus sei im Auge eines jeden,
der mich sieht.
Christus sei in jedem Ohr,
das mich hört.
Du, mein Herr,
du mein Erlöser.

St. Patrick

Begegnung mit Irland

Glendalough - schon der Klang dieses Wortes ruft wundervolle Erinnerungen in mir wach. Ein kleines Gebirgstal mit glasklaren Seen, Wasserfällen und einer frischen, milden Luft. Im Wasser spiegeln sich Bäume und Bergspitzen, eine fast unberührte Natur. Hier lebte einst der Hl. Kevin, zuerst allein als Eremit, später als Abt eines bedeutenden Klosters. Heute künden noch kleine Kapellen und einzigartige Rundtürme von diesen längst vergangenen Tagen.

Die Zeit scheint stehen zu bleiben, eine geheimnisvolle Ruhe umgibt mich. Ich liege im Gras und schaue in den blauen Himmel. Die Sonnenstrahlen wärmen mein Gesicht und ich denke zurück an die Menschen, die hier in der Einsamkeit nach Gott suchten. Haben sie den Schöpfer dieser Idylle entdeckt? Sind sie ihre Lebenssorgen los geworden? Haben sie ihr Leid Gott vor die Füße gelegt und gingen gesegnet wieder zurück in ihren Alltag?

Glendalough

Möge Gott
euch viel Glück
bringen und
möge ein großer
Fischschwarm
euren Kurs
kreuzen.

Wenn ich das Tal von Glendalough verlasse und nach Hause zurückkehre, soll mich dieses Wort begleiten:

„Möge freundlicher Sinn sich ausbreiten in deinen Augen, anmutig und edel wie die Sonne, die aus dem Nebel sich hebend den ruhigen See erwärmt."

Diese einfache und klare Frömmigkeit der Menschen in der alten irischen Kirche übt auf viele Menschen unserer Zeit eine große Faszination aus. Besonders bei uns in Deutschland.

Haben wir uns hier zu lange in einer komplizierten theologischen Wüste befunden und den Weg ins verheißene Land aus den Augen verloren? Möglich schon, dass unser Christsein dadurch schwermütig und konfliktorientiert verkopft ist.

Vielleicht ist die irische Frömmigkeit dieser frühen Jahrhunderte voller Lebensweisheit und Gottvertrauen genau das, was wir heute brauchen. Wenn Ihnen die irischen Segenswünsche dieses Buches diesen Weg einer neuen Glaubenshoffnung zeigen, hat sich die „kleine Reise" gelohnt.

F. Christian Trebing

Viele der irischen Klostergründer in den ersten Jahren nach der Missionsarbeit von Bischof Patrick begannen ein Leben als Eremiten. Sie zogen sich in die einsamen Täler Irlands zurück und lebten an kleinen Seen oder Bächen. Sie verbrachten ihre Tage in Gebet und Kontemplation. Aus dieser Zeit stammen wohl auch die folgenden Segenssprüche:

Wenn meine Hände Brot brechen,
o lebendiger und einziger Gott,
möge dein Segen immer auf mir ruhen
und auf den tausend gurrenden Tauben
im Tal meiner fröhlichen Einsamkeit.

Der gesegnete Regen,
der köstliche, sanfte Regen,
ströme auf dich herab.
Die kleinen Blumen mögen
zu blühen beginnen und
ihren köstlichen Duft ausbreiten,
wo immer du gehst.

Mögest du die kleinen Wegweiser
des Tages nie übersehen:
den Tau auf den Grasspitzen,
den Sonnenschein auf deiner Tür,
die Regentropfen im Blumenbeet,
das behagliche Buckeln der Katze,
das Wiederkäuen der Kuh,
das Lachen der Kinder,
die schwielige Hand deines Nachbarn,
der dir einen Gruß über die Hecke schickt.
Möge dein Tag durch viele
kleine Dinge groß werden.

Der Herr segne dich, wenn du gehen musst.
Er beschütze dich auf der schmalen Straße,
wenn du unterwegs bist.
Er gebe dir Platz, zu ruhen in seiner Burg,
und deinem Herzen Offenheit
für die Begegnungen auf deiner Reise.

Jeder Tag ist
schön an dem
deine Arbeit
gelingt.
Möge das
Glück dir
immer nahe
sein.

Ich wünsche dir,
dass das alte Jahr in Ruhe zu Ende geht.
Dass du alles, was nicht
nach deinen Wünschen war,
ins tiefe Meer des Vergessens wirfst.
Dass du nur behältst, was dir Gutes gelang
und was dir geschenkt wurde.
So wirst du getrost
dem neuen Jahr entgegensehen.
Es soll dir bescheren ein Päckchen Glück
und etwas Trübes.
Das eine,
damit du dich darüber freust,
das andre,
damit du es vom Guten unterscheidest.

In jeder Stunde, Freude und Leid,
lächelt der Menschgewordene dir zu -
bleib in seiner Nähe.

Gott segne dich im neuen Jahr.
Er beschirme dich in seiner Obhut
und fülle dein Leben mit Liebe.
Gottes herzliche Einladung leuchte
für alle deine Mitmenschen sichtbar
aus deinem Herzen hervor.
Und der Friede Christi begleite dich
durch jeden neuen Tag,
bis das vollkommene Leben beginnt.

Best. Nr. 878.308 - ISBN 3-88654-308-0
Fotos: Archiv (4), Gunter Hartmann (1), Christian Trebing (13)
Konzeption+Gestaltung: F. Christian Trebing

Druck: wib-druck